Romantik-Schecks
Gutscheine für alle Liebeslagen

Sie halten hier ein ganz besonderes Scheckheft in Händen: ein Scheckheft voller Gutscheine.
Es sind Gutscheine für liebevolle Gaben und Gesten, für kleine Aufmerksamkeiten und gemeinsame
Unternehmungen, die alle eines sagen wollen: Ich hab dich lieb.

Und so gehts: Sie wählen einen Gutschein aus, trennen ihn an der Perforation heraus und übergeben ihn
einem lieben Menschen – in einem Blumenstrauß, in einem Kuvert, als Tischkarte oder einfach nur so.
Einige Gutscheine tragen keinen Text – hier können Sie selbst einsetzen, was Sie verschenken möchten.
Falls Sie mehrere Menschen mit Romantik-Schecks beschenken, können Sie auf Ihrem Belegabschnitt
festhalten, an wen Sie welchen Gutschein ausgegeben haben.

Mein Liebesbeweis für dich:
Gutschein für einen kuscheligen
Abend am Kamin

von:

für:

3107001 2191-01

Gutschein für ein entspannende Massage

Ausgegeben am:

an:

Ich möchte dich verwöhnen:
Gutschein für eine lange,
entspannende Massage

von:

für:

3107 0012191-02

Für dich nur Romantik pur:
Gutschein für eine Pferdeschlitten-
fahrt durch den Schnee

von:

für:

3107 0012191-03

Mein süßer Liebesbeweis für dich:
Gutschein für eine große
Packung Schokoladeherzen

von:

für:

3107001219104

Ausgeber: am:

an:

Romantik zum Eintauchen:
Gutschein für ein
Wochenende am See

von:

für:

3107 0012191-05

Gutschein für ein Wochenende am See

Ausgegeben am:

an:

Mein Liebesbeweis für dich:

Gutschein für einen gemeinsamen

.... -Tanzkurs

von:

für:

31070012191-06

Als Zeichen meiner Liebe:
        Gutschein für ein selbst
gekochtes „Caudle-light-Dinner"

von:

für:

3107001 2191-07

Ein kleiner Liebesbeweis für dich:
Gutschein für ein selbst
gebasteltes Fotoalbum

von:

für:

3107001 2191-08

an:

Ausgegeber am:

Mein leuchtender Liebesbeweis
an dich: Gutschein für einen
eigenen Stern

von:

für:

3107-0012191-09

Ich bringe meine Gefühle aufs Papier: Gutschein für ein selbst verfasstes Gedicht

von:

für:

3107001219110

Bald weiß jeder, was ich für dich empfinde:

Gutschein für ein eigens
              gemietetes Liebesplakat

Gutschein für ein gemietetes Liebesplakat

Ausgegeber, am:

an:

von:

für:

3107001219l-11

Für dich werde ich romantisch:
Gutschein für deine
Lieblingstorte

von:

für:

3107001 2191-12

Mein Liebesbeweis für dich:
Gutschein für ein
Kama Sutra-Buch

von:

für:

31070012191-13

Für dich, nur Romantik pur:

Gutschein für eine selbst gebrannte

◐ mit den schönsten Love-Songs

von:

für:

3107001219 1-14

Ausgegeben am:

an:

Romantik zum Eintauchen:
Gutschein für ein Schaumbad
bei Kerzenschein

von:

für:

3107001 2191–15

Romantik im Dunkeln:
Gutschein für zwei
Kinopremiere-Karten

von:

für:

3107 0012191-16

Als Beweis meiner Liebe:
Gutschein für einen **ungestörten**
Fußballabend

von:

für:

3107001219l-17

Ein kleiner Liebesbeweis für dich:
Gutschein für eine
Tandemfahrt

von:

für:

3107001219118

Denn Liebe geht durch den Magen:
Gutschein für einen *Becher*
„heiße Liebe"

von:

für:

3107012191-19

Ausgegeben am:

an:

Ein bisschen Romantik sollte nie fehlen: Gutschein für einen gemeinsamen Schloss-Besuch

von:

für:

31070012191-20

Mein Liebesbeweis für dich:
Gutschein für 1x
     Wohnung putzen

von:

für:

3107-0012191-21

Für dich, nur Romantik pur:
Gutschein für eine
Goudelfahrt in Venedig

von:

für:

31070012191-22

Ausgegeben am:

an:

Ein kleiner Liebesbeweis für dich:
Gutschein für einen **Weiberabend**
ohne Nörgeln

von:

für:

3107001219123

Ausgegeben am:

an:

Lust auf ein bisschen Romantik?
Gutschein für eine gemeinsame
Hotelübernachtung

von:

für:

3107012191-24

Was ich dir schon immer sagen wollte:

Gutschein für ein

selbst komponiertes Lied

von:

für:

3107001 2191-25

Mein Liebesbeweis für dich:
Gutschein für einen
gemeinsamen Theaterabend

von:

für:

3107001 2191-26

Mit dir schwebe ich über den
Wolken: Gutschein für eine
Ballonfahrt

von:

für:

3107001219 1-27

Ausgegeben am:

an:

Mit dir sehe ich rosarot:

Gutschein für eine

Sonnenbrille deiner Wahl

von:

für:

3107·0012191−28

Mein Liebesbeweis für dich:
Gutschein für einen Tag, an dem wir
machen, was du willst

von:

für:

3107001219I-29

Um mal was richtig Romantisches zu machen: Gutschein für ein Picknick zu zweit

von:

für:

3107001 2191-30

Gutschein für ein Picknick zu zweit

Ausgegeben am:

an:

Ein bisschen Romantik sollte nie fehlen:

Gutschein für ein
Sektfrühstück im Bett

von:

für:

3107001291-31

Gutschein für einen m² auf dem Mond

an:

Ausgegeben am:

Mein Liebesbeweis für dich:
Gutschein für einen
m² auf dem Mond

von:

für:

31070012191-32

Um mal was *richtig Romantisches* zu machen:

. . . .

von:

für:

3107 0012191-33

Mein Liebesbeweis für dich:

....

von:

für:

3107001 2191-34

Ein bisschen *Romantik*
sollte nie fehlen: Gutschein für
das nächste Scheckheft

von:

für:

3107001219135